The Alphabet

Copy the letters an[...]

Aa   Bb   Cc   Dd

ant   ball   cat   dog

Ee   Ff   Gg   Hh

egg   fan   gate   hen

Ii   Jj   Kk   Ll

igloo   jug   kite   lion

Mm   Nn   Oo   Pp

mop   net   orange   pan

Qq   Rr   Ss   Tt

queen   rat   sun   tap

Uu   Vv   Ww   Xx

umbrella   van   web   xylophone

Yy   Zz

yacht   zebra

f and k

In joined-up handwriting 'f' is written like this 'f' and 'k' is written like this 'k'.

Start at ˙.

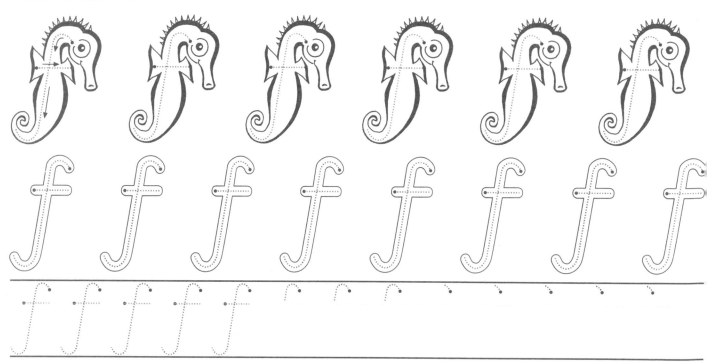

f f f f f f f f

f f f f f

Start at ˙

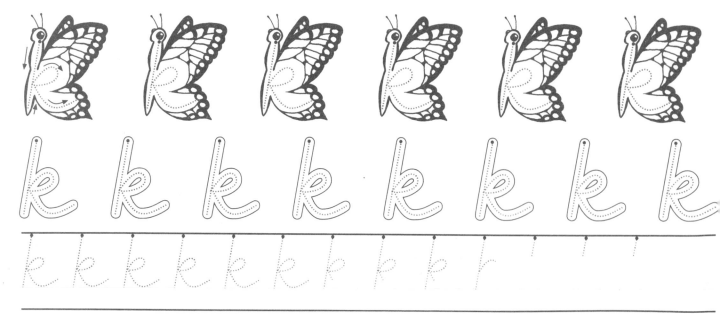

k k k k k k k k

k k k k k k k k k

 _____
fire

 kettle

4

Joining i to another letter

ii ii ii ii ii

ii ii ii ii ii

in in in in in in

in in in in in in in i

tin t

bin ri

cccc cccc cccc cccc cccc

id id id i

ig ig i

lid l

pig p

The big pig is in the tin bin.

Joining u to another letter

un un un un un

un un un un un

sun

up up u

bun b

cup c

un un

um

hum h

The bun is in the cup.

Joining a to another letter *Start at* ·

uuu   uuu   uuu   uuu

cccc   cccc   cccc   cccc

an an an an an

an an an an ·

am am am am

am am am am an ·

ag   ag ag ·   Sam S·

      wagon   ran r·

A lamb ran into the wagon.

7

Joining e to another letter

ccc   ccc   ccc   ccc

eeee   eeee   eeee   eeee

eeee   eeee   eeee   eeee

eg eg eg eg eg eg eg

eg eg eg eg eg e

peg peg

leg leg

ea   ea ea e

pea

en   en en e

hen

Peg-leg Meg has a pet hen

8

me me me me me

me me me me me r

ma ma r

man r

my my i

mu mu r

mummy r

Mummy came to meet me.

na na na na na r

ne ne ne ne r

net r

nail r

ni ni ni ni ni r

nasty nail

nine r

no no no r

nine nasty nails in a net

Joining o to a, o, y and n

o o o o o

oa oa oa oa oa oa

oa oa oa oa oa

boat   coat   goat

oo oo oo   oo oo oo

oy oy   boy   book

toy   on on

The boy has a toy boat.

Joining ow to another letter

ow ow ow ow ow

ow ow ow ow ow

cow

towel

owl

tower

crown

an owl on top of the tower

12

Joining r, v and w to another letter

ra ra ra ra   va va va

re re re re   ve ve ve

ra ra ra ra r   re re re r

va va va va'   ve ve ve '

van '

rattle r   red r   vet '

wre we   wa wa   watch

The vet drives the red van.

Joining rk to another letter *Start at ·*

rk rk rk rk rk rk rk rk rk

rk rk rk rk rk rk r

park

lark

ark

bark

Hark, hark, the dogs do bark.

14

Joining al to another letter

al al al al al al

al al al al al ͻ

balloon

always

ball b

wall w   tall

The ball is on the tall wall.

Joining a to d   *Start at* ·

ad ad   ad ad

adder   sad   pad   bad

2+2   add   tadpole   lad   ladder

the adder and the ladder

Joining i and o to f

Start at •

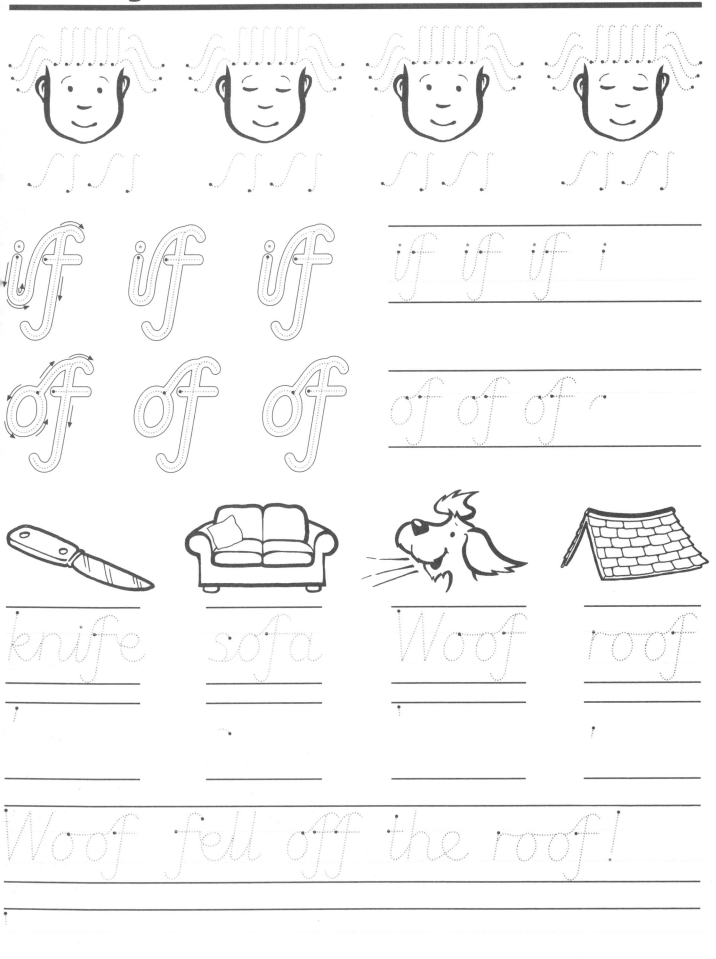

if if if if i

of of of of

knife

sofa

Woof

roof

Woof fell off the roof!

17

Joining ck to another letter

ck *ck* *ck ck ck ck*

clock

peck

sock

back

sack

click clack clickety clack

Joining ch to another letter

ch ch ch ch ch ch ch ch

cheese

chips

chicken

church

Chickens chew cheese.

Joining sh to another letter

sh sh   sh sh sh sh .

ship

shapes .

shop .

sheep .

She sells shells on the shore.

20

Joining fo and fa to another letter

fo fo fo   fo fo fo

4   four

fox

fa fa fa   fa fa

fat   face

four fat foxes found a fan.

Joining a, e and o to x *Start at •*

ax ax ax ax ax

axe axe axe wax

ex ex ex ex ex ex

exercises

?

ox ox ox

oxox

box fox

The fox was in a box.

Never join after b, g, j, p, q, x, y and z

Tom's party will be held

at the zoo

by the aquarium.

Menu

extra big bangers

quail's eggs

yellow jelly and pears

23

Adding s *Start at* .

ssssss   ssssss   ssssss

as as as   is is i

tractors

horses

cows   ducks   goats   pigs

horses, goats and ducks

Joining a to y   Copy the words

ay ay   ay ay ay

Solomon Grundy

   Born on Monday

Christened on Tuesday

   Married on Wednesday

25

Joining a to y

Took ill on Thursday

Worse on Friday

Died on Saturday

Buried on Sunday

That was the end of Solomon Grundy

26

More capital letters

Capitals do not join to other letters.

Zoo Keeper

Algernon Alligator

Lavinia Lioness

Ivan Ibis

Henry Hedgehog

More capital letters

Ollie Owl

Quincey Quail

Percy Parrot

Nora Newt

Yootha Yak

Rupert Rabbit

Vin Viper

Numbers

Write over the top of each word, then copy.

Ten

Eleven

Twelve

One

Two

Three

Four

Five

Six

Seven

Eight

Nine

What time is it Mr Wolf?

Months

Copy these sentences.

January brings snow.

February brings rain.

March brings breezes.

April brings showers.

May brings flowers.

June brings roses.